일상 속 정말 많이 쓰이는

잘못된 맞춤법

'꺼야'냐 '거야'냐 그것이 문제로다

아더곰 지음

BOOKK

들어가며

친구나 자녀와의 문자 메시지, 회사에서의 문서 작성, SNS 게시 글 등 우리는 생각보다 많은 글을 쓰고, 보며 살아간다. 그렇게 무수히 주고받는 글 사이사이에는 높은 확률로 틀린 말들이 숨어 있다. 한때 유행했던 '외않되'라는 말을 아는가? 기본적인 맞춤법을 틀리는 사람들을 놀리는 듯한 이 말을 보며 '설마 정말 저렇게 쓰는 사람이 있겠어?'라고 생각할 수도 있지만, '않'과 '안', '되'와 '돼'가 엉터리로 표기되어 있는 글은 정말이지 흔히 볼 수 있다. 그런 엉터리 글을 쓰고 있는 사람이 나는 아닐까? 그런 글이 과연 사람들에게 신뢰감을 줄 수 있을까? 친구에게, 자녀에게, 고객에게 내 이미지는 어떻게 남을까?

기초적인 것만이라도 공부해 보자. 이 책에 있는 것들만 공부해도 최소한 무시당하는 글에서는 벗어날 수 있을 것이다.

이제 막 맞춤법에 관심을 갖기 시작한 사람들을 위해 일상 속에서 많이 쓰이는 잘못된 맞춤법 사용들을 모아 보았다. 이 책에서는 최대한 품사와

관련한 단어(체언, 용언, 관형사, 부사, 수사 등)의 직접적인 언급은 지양하였다. 처음 맞춤법을 공부할 때 이러한 문구들로 구성된 설명들이 오히려 더 혼란스러움을 야기한다고 생각했기 때문이다. 띄어쓰기에 대한 내용 역시 이번 편에서는 제외시켰다. 최대한 기본적인 것을 습득한 후 품사의 역할에 대해 조금씩 알아가고, 띄어쓰기에 대해 공부하며 '아, 이래서 이 말이 이렇게 활용되는구나', '그래서 이렇게 띄어 써야 하는 거구나'를 깨닫는 게 좋은 순서라고 생각해서다.

맞춤법을 지키는 문자 메시지, 조금 더 완성도 높은 보고서, 판매율을 높이는 신뢰감 있는 게시 글을 쓰는 데 이 책이 조금이나마 도움이 되길 바란다.

2024. 03.
지은이 아더곰

목차

목차

1장

답은 정해져 있다

01
쌍기역(ㄲ)의 늪 ①

내일 올 꺼지?
몇 시에 도착할 꺼 같아?

병원에 들렀다 갈 꺼라서,
2시 정도에 도착할 꺼 같아.

-ㄹ 꺼 ⓧ

'-ㄹ' 뒤에 '거'를 쓸 때 '꺼다', '꺼 같다', '꺼야', '껀데'처럼 '거'를 '꺼'로 쓰는 경우를 볼 수 있는데, '거다', '거 같다', '거야', '건데'와 같이 써야 옳다. 뒤에서 몇 번 더 언급하겠지만, 기역(ㄱ)이 들어가야 할 자리에 쌍기역(ㄲ)을 넣는 오류는 정말이지 흔히 발견할 수 있다.

※ '거'는 '것'의 구어체로, '것이다', '것 같다'와 같이 써도 된다.

-ㄹ 거

앞에 나온 예문의 틀린 부분을 고쳐 쓰면 다음과 같다.

내일 올 **거**지?
몇 시에 도착할 **거** 같아?

병원에 들렀다 갈 **거**라서,
2시 정도에 도착할 **거** 같아.

| 일상 속 예문 더하기 |

- 월요일이라니, 꿈일 꺼야. → 월요일이라니, 꿈일 거야.
- 이제 퇴근할 꺼야. → 이제 퇴근할 거야.
- 용돈 받으면 놀러 갈 꺼야. → 용돈 받으면 놀러 갈 거야.
- 오늘은 친구 집에 갈 껀데? → 오늘은 친구 집에 갈 건데?
- 사랑에 빠질 꺼 같다. → 사랑에 빠질 거 같다.
- 내년에는 진짜로 퇴사할 꺼다. → 내년에는 진짜로 퇴사할 거다.
- 이 옷 살 껀데, 어때? → 이 옷 살 건데, 어때?

02
쌍기역(ㄲ)의 늪 ②

냉장고에 있던 빵 내 껀데
누가 먹었어!

내가 먹음.
가족 사이에 네 꺼, 내 꺼가 어디 있냐.

네 꺼, 내 꺼 ✕

'내꺼하자', '내껀데'라는 노래 제목이 있는데, 이는 '내 거하자', '내 건데'로 표기하는 게 맞다. 노래 제목이나, 드라마 제목, 방송 자막 등은 절대적으로 맞을 거라 생각하는 경우가 있는데, 뉴스나 이름 있는 출판사에서 나오는 책에도 오류는 있을 수 있다. 그때그때 사전을 찾아보는 습관을 갖는다면 맞춤법을 공부하는 데 큰 도움이 될 것이다.

네 거, 내 거

앞에 나온 예문의 틀린 부분을 고쳐 쓰면 다음과 같다.

냉장고에 있던 빵 **내 건**데
누가 먹었어!

내가 먹음.
가족 사이에 **네 거**, **내 거**가 어디 있냐.

일상 속 예문 더하기

- 단비 꺼야! → 단비 거야!
- 이거 누구 꺼야? → 이거 누구 거야?
- 언니가 내 꺼 입고 나갔어? → 언니가 내 거 입고 나갔어?
- 내 껀데, 오늘만 양보한다. → 내 건데, 오늘만 양보한다.
- 네 꺼 내가 가지고 간다. → 네 거 내가 가지고 간다.
- 우리 딸 누구 꺼? 엄마 꺼! → 우리 딸 누구 거? 엄마 거!
- 누구 껀지 참 잘했다. → 누구 건지 참 잘했다.

03
쌍기역(ㄲ)의 늪 ③

미안, 일이 생겨서 조금 늦을 것 같아.
끝나면 바로 연락할께.

괜찮아, 먼저 들어가 있을께!

-ㄹ께 ✕

'비켜줄께'라는 노래 제목 또한 '비켜 줄게'를 잘못 표기한 것이다. 앞에서 언급한 '거'를 '꺼'로 쓰는 것만큼이나 '게'를 '께'로 쓰는 오류도 정말이지 흔히 볼 수 있다.

'께'는 '에게'의 높임말로 '선생님께', '부모님께'와 같이 사용할 수 있다. 혹은 '그때 또는 장소에서 가까운 범위'의 뜻으로 '이달 말께'와 같이 사용할 수 있겠다.

-ㄹ게 ◎

앞에 나온 예문의 틀린 부분을 고쳐 쓰면 다음과 같다.

미안, 일이 생겨서 조금 늦을 것 같아.
끝나면 바로 연락할게.

괜찮아, 먼저 들어가 있을게!

| 일상 속 예문 더하기 |

- 나 먼저 퇴근할께. ⟶ 나 먼저 퇴근할게.
- 내가 데리러 갈께. ⟶ 내가 데리러 갈게.
- 제가 도와드릴께요. ⟶ 제가 도와드릴게요.
- 한 개 남은 거 내가 먹을께. ⟶ 한 개 남은 거 내가 먹을게.
- 내일까지만 쉴께요. ⟶ 내일까지만 쉴게요.
- 내가 정리하고 있을께. ⟶ 내가 정리하고 있을게.
- 5분만 더 잘께요. ⟶ 5분만 더 잘게요.

04
쌍기역(ㄲ)의 늪 ④

내일이 시험인데
아직도 공부할 께 너무 많다!

그러게
외울 께 왜 이리 많냐.

께 ✕

바로 앞에서 '-ㄹ게'를 '-ㄹ께'로 잘못 표기하는 것을 설명했는데, '거'에 '이'가 붙은 형태인 '게' 역시 '-ㄹ' 뒤에 올 때 '께'로 잘못 표기하는 경우를 흔히 볼 수 있다. 앞에서 설명한 '-ㄹ게'와 달리 여기서 설명하는 '게'는 앞의 말과 띄어 쓴다.

앞에 나온 예문의 틀린 부분을 고쳐 쓰면 다음과 같다.

내일이 시험인데
아직도 공부할 **게** 너무 많다!

그러게
외울 **게** 왜 이리 많냐.

| 일상 속 예문 더하기 |

- 살 께 뭐가 있었지? → 살 게 뭐가 있었지?
- 일할 께 아직 많이 남았어. → 일할 게 아직 많이 남았어.
- 먹을 께 별로 없다. → 먹을 게 별로 없다.
- 놀 께 많아서 신난다. → 놀 게 많아서 신난다.
- 확인해야 할 께 넘친다. → 확인해야 할 게 넘친다.
- 읽을 께 많아서 눈이 아프다. → 읽을 게 많아서 눈이 아프다.
- 청소할 께 끝이 없네. → 청소할 게 끝이 없네.

05
쌍기역(ㄲ)의 늪 ⑤

'할께요'는 '할게요'로
쓰는 게 맞을껄[1]?

그래?
맞춤법 공부 좀 미리 해 둘껄[2].

-ㄹ껄 ✕

1)번은 문장 끝에서 '가벼운 반박이나 감탄의 뜻'으로 쓰인 것으로 '맞을걸'로, 2)번은 문장 끝에서 '가벼운 뉘우침이나 아쉬움'을 나타내는 의미로 쓰인 것으로 '둘걸'로 써야 맞다. 간혹 문장 끝에서 '맞을 걸', '둘 걸'처럼 '걸' 앞을 띄어 쓰는 경우가 있는데, '~ㄹ걸' 형태이므로 붙여 써야 한다.

-ㄹ걸 ⊙

앞에 나온 예문의 틀린 부분을 고쳐 쓰면 다음과 같다.

'할께요'는 '할게요'로
쓰는 게 맞을**걸**?

그래?
맞춤법 공부 좀 미리 해 둘**걸**.

| 일상 속 예문 더하기 |

- 아마 오빠도 올껄? → 아마 오빠도 올걸?
- 일요일이라서 영업 안 할껄? → 일요일이라서 영업 안 할걸?
- 나를 이길 수는 없을껄? → 나를 이길 수는 없을걸?
- 다음 주까지일껄? → 다음 주까지일걸?
- 미리 말해 둘껄. → 미리 말해 둘걸.
- 맛있는 거나 사 먹을껄. → 맛있는 거나 사 먹을걸.
- 잠이나 잘껄. → 잠이나 잘걸.

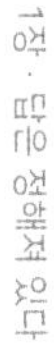

06
에요 : 예요

오늘도 지각한 사람…
그 사람이 바로 나에요.

지각도 열심히 하는 우리 딸,
최고에요.

에요 ✕

'이에요'가 '사과', '학교', '기러기'처럼 받침 없이 모음(ㅏ, ㅑ, ㅓ…)으로 끝나는 명사 뒤에 올 때는 '이에요'의 준말인 '예요'를 쓰는데, 이를 '에요'로 잘못 쓰는 경우를 흔히 볼 수 있다. 하지만 예외는 있다. 바로 '아니에요'이다. '아니'가 모음으로 끝났으니 '아니예요'라고 써야 할 것 같지만, 이것만은 예외로 '아니에요'로 써야 한다.

예요 ⊙

앞에 나온 예문의 틀린 부분을 고쳐 쓰면 다음과 같다.

오늘도 지각한 사람…
그 사람이 바로 나**예요**.

지각도 열심히 하는 우리 딸,
최고**예요**.

| 일상 속 예문 더하기 |

- 이거 누구 거에요? ⟶ 이거 누구 거예요?
- 그건 별로에요. ⟶ 그건 별로예요.
- 이게 좋아하는 과자에요. ⟶ 이게 좋아하는 과자예요.
- 저도 즐겨 듣는 노래에요. ⟶ 저도 즐겨 듣는 노래예요.
- 지금은 4시에요. ⟶ 지금은 4시예요.
- 우리 아이에요. ⟶ 우리 아이예요.
- 내일부터 휴가에요. ⟶ 내일부터 휴가예요.

07
이예요 : 이에요

와 아기가 잘생겼어요!
과장님 아들이예요?

딸이예요...

이예요 ⊗

모음으로 끝나는 명사 뒤에 '예요'를 썼다면, '사랑', '선배님', '책'과 같이 자음으로 끝나는(=받침이 있는) 명사 뒤에는 '이에요'를 쓴다. 이를 '이예요'로 쓰는 오류를 흔히 보는데, 앞에 오는 명사의 받침 유무 상관없이 명사 뒤에 '이예요'를 쓸 수 있는 경우는 절대 존재하지 않는다.

※ 착각할 수 있는 예를 들자면, '어린이예요'는 '어린'에 '이예요'가 붙은 게 아니라 '어린이'에 '예요'가 붙은 구조이므로 맞게 쓰인 것이다.

이에요 ⊙

앞에 나온 예문의 틀린 부분을 고쳐 쓰면 다음과 같다.

와 아기가 잘생겼어요!
과장님 아들**이에요**?

딸**이에요**...

| 일상 속 예문 더하기 |

- 내일까지 마감이예요. ⟶ 내일까지 마감이에요.
- 추억의 맛이예요. ⟶ 추억의 맛이에요.
- 제 생각이예요. ⟶ 제 생각이에요.
- 내일부터 방학이예요. ⟶ 내일부터 방학이에요.
- 아직 회의 중이예요. ⟶ 아직 회의 중이에요.
- 몇 시 퇴근이예요? ⟶ 몇 시 퇴근이에요?
- 제가 쓴 글이예요. ⟶ 제가 쓴 글이에요.

08
이였다 : 이었다

엄마는 어렸을 때
공부 잘하는 모범생이였다.

네네, 공부 못하는 아들이여서
죄송합니다!

이였다 ✕

앞에서 설명한 '이에요'의 사용과 같이 이해하면 쉽겠다. '이었다'를 '이였다'로 쓰는 오류를 흔히 보는데, 앞에 오는 명사의 받침 유무 상관없이 명사 뒤에 '이였다'를 쓸 수 있는 경우는 절대 존재하지 않는다.

※ 착각할 수 있는 예를 들자면, '어린이였다'는 '어린'에 '이였다'가 붙은 게 아니라 '어린이'에 '였다'가 붙은 구조이므로 맞게 쓰인 것이다.

이었다 ◎

앞에 나온 예문의 틀린 부분을 고쳐 쓰면 다음과 같다.

엄마는 어렸을 때
공부 잘하는 모범생**이었다**.

네네, 공부 못하는 아들**이어서**
죄송합니다!

| 일상 속 예문 더하기 |

- 착한 사람이였다. ⟶ 착한 사람이었다.
- 재미있는 꿈이였다. ⟶ 재미있는 꿈이었다.
- 동생이여서 참는다. ⟶ 동생이어서 참는다.
- 아빠도 미남이였단다. ⟶ 아빠도 미남이었단다.
- 농담이여서 다행이다. ⟶ 농담이어서 다행이다.
- 시험이여서 힘들지? ⟶ 시험이어서 힘들지?
- 오늘은 월급날이였다. ⟶ 오늘은 월급날이었다.

09
들렸다 갈게 : 들렀다 갈게

혹시 올 때 슈퍼마켓에 들릴 수 있어?

응, 들렸다 갈게. 뭐 사면 돼?

들렸다 갈게 ✕

'지나는 길에 잠깐 들어가 머무르다'라는 의미를 나타내야 하는 자리에 '들릴', '들렸다'처럼 '들리다'를 활용하는 오류를 볼 수 있는데, '들를', '들렀다'와 같이 '들르다'를 활용해야 한다.

들렀다 갈게 ◉

앞에 나온 예문의 틀린 부분을 고쳐 쓰면 다음과 같다.

혹시 올 때 슈퍼마켓에 **들를** 수 있어?

응, **들렀다** 갈게. 뭐 사면 돼?

| 일상 속 예문 더하기 |

- 그곳에 일주일에 한 번은 들린다.
  → 그곳에 일주일에 한 번은 들른다.
- 퇴근길에 들릴 곳이 많다. → 퇴근길에 들를 곳이 많다.
- 가는 길에 들리라고 해. → 가는 길에 들르라고 해.
- 거기? 내가 들리지 뭐. → 거기? 내가 들르지 뭐.
- 휴게소에 잠깐 들렸다 가자. → 휴게소에 잠깐 들렀다 가자.
- 약국에 들려야 해. → 약국에 들러야 해.

10
주셨다 : 주웠다

이거 네가 갖고 싶다고 했던 거지?
자, 오다 주셨다!

와, 고맙습니다!

주셨다 ✕

'줍다'를 활용해야 하는 자리에 '주셨다', '주서서', '주슨' 등과 같은 말을 쓰는 오류를 흔히 볼 수 있는데, '주웠다', '주워서', '주운'과 같이 써야 옳다.

주웠다 ◎

앞에 나온 예문의 틀린 부분을 고쳐 쓰면 다음과 같다.

이거 네가 갖고 싶다고 했던 거지?
자, 오다 **주웠다**!

와, 고맙습니다!

| 일상 속 예문 더하기 |

- 길에서 주섰는데 신고해야 하나?
  → 길에서 주웠는데 신고해야 하나?
- 과자 몇 개 주서 먹은 걸로 배가 불러?
  → 과자 몇 개 주워 먹은 걸로 배가 불러?
- 떨어져 있길래 내가 주서 놨지.
  → 떨어져 있길래 내가 주워 놨지.
- 내가 주슨 것도 모르고. → 내가 주운 것도 모르고.

11
하던지 말던지 : 하든지 말든지

내일 놀이공원 갈까?
아니면 쇼핑하러 가던지.

쇼핑이 좋겠다.
명동을 가던지, 홍대를 가던지 하자!

하던지 말던지 ⊗

'든지'는 '어떠한 것이나 동작 등을 선택'하는 상황에서 쓰이는데, 이때 '든'을 '던'으로 잘못 표기하는 경우를 볼 수 있다. '-던'은 '과거의 어떤 상태'를 나타내는 말로 '어찌나 예쁘던지', '행복했던 날들', '자주 들르던 곳'과 같이 쓸 수 있다.

※ '하던가 말던가' 역시 '하든가 말든가'로 써야 한다.

하든지 말든지 ◎

앞에 나온 예문의 틀린 부분을 고쳐 쓰면 다음과 같다.

내일 놀이공원 갈까?
아니면 쇼핑하러 가**든지**.

쇼핑이 좋겠다.
명동을 가**든지**, 홍대를 가**든지** 하자!

| 일상 속 예문 더하기 |

- 가던지 말던지 알아서 해. → 가든지 말든지 알아서 해.
- 일단 차를 마시던지 밥을 먹던지 하자.
  → 일단 차를 마시든지 밥을 먹든지 하자.
- 어떻게 되던지 상관없어. → 어떻게 되든지 상관없어.
- 무엇을 하던 내 마음이지. → 무엇을 하든 내 마음이지.
- 심심하면 책을 보던지 잠을 더 자던지 해라.
  → 심심하면 책을 보든지 잠을 더 자든지 해라.

12
돼다 : 되다

나 내일 너네 집에 놀러 가도 됌?

엄마한테 물어봐야 되서
내일 되 봐야 알 것 같아.

돼다 ✕

('돼'는 '되어'의 준말이고, '됐'은 '되었'의 준말이다.)

'돼'와 '되'의 구분이 어렵다면 '해', '하'로 바꿔 보자. 예를 들어 '됀다'와 '된다'가 헷갈린다면 '핸다', '한다'로 바꿔 보는 것이다. '핸다'가 말이 안 되니 '됀다'가 틀린 말이다.

※ '돼라, 되라'는 둘 다 사용할 수 있다. 일반적으로는 '돼라'를 사용하나, '구체적으로 정해지지 않은 독자에게 매체를 통한 간접 명령의 뜻'을 나타낸다면 '되라'를 사용할 수 있는데, 책 제목 등에서 볼 수 있겠다.

되다 ◎

앞에 나온 예문의 틀린 부분을 고쳐 쓰면 다음과 같다.

나 내일 너네 집에 놀러 가도 **됨**?

엄마한테 물어봐야 **돼**서
내일 **돼** 봐야 알 것 같아.

| 일상 속 예문 더하기 |

- 먼저 먹어도 되요? → 먼저 먹어도 돼요?
- 응, 그래도 돼고. → 응, 그래도 되고.
- 안 되도 어쩔 수 없지. → 안 돼도 어쩔 수 없지.
- 오늘까지 되? → 오늘까지 돼?
- 반장이 돼었다. → 반장이 되었다.
- 그렇게 돼면 좋지. → 그렇게 되면 좋지.
- 우리 꼭 부자가 돼자. → 우리 꼭 부자가 되자.

13
않 돼 : 안 돼

친구 놀리면 돼요? 않 돼요?

않 돼요.

않 돼 ✕

'안'은 동사나 형용사 앞에서 부정이나 반대의 뜻을 나타내는 말로 '안 가다', '안 먹다', '안 예쁘다' 등과 같이 쓰인다('안' 뒤는 띄어 쓴다). '않다'는 동사나 형용사 뒤에서 부정하는 뜻을 나타내는 말로 '가지 않다', '먹지 않다', '예쁘지 않다'와 같이 '-지 않다' 구성으로 쓰이거나, '어떤 행동을 안 하다'라는 뜻으로 '거절 않고 받았다'와 같이 쓰인다.

안 돼 ◎

앞에 나온 예문의 틀린 부분을 고쳐 쓰면 다음과 같다.

친구 놀리면 돼요? **안** 돼요?

안 돼요.

| 일상 속 예문 더하기 |

- 않 봐도 눈에 훤하다. ⟶ 안 봐도 눈에 훤하다.
- 지금 않 가면 못 봐. ⟶ 지금 안 가면 못 봐.
- 너는 일 않 하고 있어? ⟶ 너는 일 안 하고 있어?
- 쉬지 안으면 않 될 것 같아. ⟶ 쉬지 않으면 안 될 것 같아.
- 그래도 같이 오지 안을까? ⟶ 그래도 같이 오지 않을까?
- 먹지 안고 기다리고 있지. ⟶ 먹지 않고 기다리고 있지.
- 가지 안았다고 뭐라고 그래? ⟶ 가지 않았다고 뭐라고 그래?

14
암 : 앎

암 ✖

동사 및 형용사의 어간에 'ㅁ'을 붙여 명사형으로 만들 수 있는데, '하다'의 '하'에 'ㅁ'을 붙여 '함'이, '살다'의 '살'에 'ㅁ'을 붙여 '삶'이 되는 걸 생각하면 쉽게 이해할 수 있겠다. '삶', '앎'처럼 'ㄹㅁ' 받침으로 써야 할 때 'ㄹ'을 탈락시키고 'ㅁ' 받침만 넣어 '삼', '암'과 같이 쓰는 오류를 볼 수 있다.

앞에 나온 예문의 틀린 부분을 고쳐 쓰면 다음과 같다.

혹시 이 드라마 앎?

어, 나 어제 봤는데 슬퍼서 펑펑 욺.

| 일상 속 예문 더하기 |

- 이거 아빠가 만듬. ⟶ 이거 아빠가 만듦.
- 그런데 거기는 너무 멈. ⟶ 그런데 거기는 너무 멂.
- 내 서랍 언니가 염? ⟶ 내 서랍 언니가 엶?
- 왠지 그런 기분이 듬. ⟶ 왠지 그런 기분이 듦.
- 한 달 내내 병원에 드나듬. ⟶ 한 달 내내 병원에 드나듦.
- 형광등 엄마가 감? ⟶ 형광등 엄마가 갊?
- 네가 노래 틈? ⟶ 네가 노래 틂?

15
입맛이 틀리다 : 입맛이 다르다

이게 맛없다고?
입맛이 틀린가, 난 맛있는데.

조금 틀린가 보다.
네가 맛있으면 됐지.

입맛이 틀리다 ✕

'다르다'는 '비교가 되는 두 대상이 서로 같지 아니하다', '보통의 것보다 두드러진 데가 있다'라는 의미인데, '다르다' 대신 '틀리다'를 활용하는 오류를 볼 수 있다.

입맛이 다르다 ◎

앞에 나온 예문의 틀린 부분을 고쳐 쓰면 다음과 같다.

이게 맛없다고?
입맛이 **다른가**, 난 맛있는데.

조금 **다른가** 보다.
네가 맛있으면 됐지.

| 일상 속 예문 더하기 |

- 집이 생각했던 거랑은 틀리게 생겼다.
  ⟶ 집이 생각했던 거랑은 다르게 생겼다.
- 우린 취향이 틀려서 영화 고를 때 힘들어.
  ⟶ 우린 취향이 달라서 영화 고를 때 힘들어.
- 쌍둥이인데 얼굴이 틀리네. ⟶ 쌍둥이인데 얼굴이 다르네.
- 성격이 틀리지만 잘 맞춰 가자.
  ⟶ 성격이 다르지만 잘 맞춰 가자.

16
물건을 부시다 : 물건을 부수다

회사...
다 부셔 버리고 싶다.

같이 부시자.

물건을 부시다 ✕

'부수다'가 활용되어야 할 자리에 '부시다'를 활용해 '부셨다, 부시고, 부셔서'처럼 쓰는 오류를 흔히 볼 수 있는데, '부쉈다, 부수고, 부숴서'로 써야 옳다.

※ '부서뜨(트)리다', '부서지다'는 한 단어로 자리 잡은 말로서, '부숴뜨(트)리다', '부숴지다'로 쓰는 건 잘못된 쓰임이다.

물건을 부수다 ◎

앞에 나온 예문의 틀린 부분을 고쳐 쓰면 다음과 같다.

회사…
다 **부숴** 버리고 싶다.

같이 **부수자**.

| 일상 속 예문 더하기 |

- 라면 부셔 먹으면 맛있는데. → 라면 부숴 먹으면 맛있는데.
- 무슨 소리야? 뭘 부시나? → 무슨 소리야? 뭘 부수나?
- 오래된 건물을 부셨다. → 오래된 건물을 부쉈다.
- 이렇게 작게 부시면 돼. → 이렇게 작게 부수면 돼.
- 문을 부시고 나가자. → 문을 부수고 나가자.
- 부셔져 버렸어. → 부서져 버렸어.
- 확, 부셔뜨(트)릴까? → 확, 부서뜨(트)릴까?

17
뗄레야 : 떼려야

내 남자 친구랑 나는
뗄레야 뗄 수 없는 사이지.

아이고, 부러워라.

뗄레야 ✕

'뗄레야'는 틀린 말로 '떼려야'로 써야 한다.

'떼려야'는 '떼다'와 '-려야'가 결합한 것인데, 이와 같이 동사에 '-려야'를 결합시켜 '피하려야', '가려야', '하려야' 등과 같이 쓸 수 있다.

떼려야 ◎

앞에 나온 예문의 틀린 부분을 고쳐 쓰면 다음과 같다.

내 남자 친구랑 나는
떼려야 뗄 수 없는 사이지.

아이고, 부러워라.

| 일상 속 예문 더하기 |

- 입이 아파서 먹을레야 먹을 수가 없다.
  → 입이 아파서 먹으려야 먹을 수가 없다.
- 시끄러워서 잘레야 잘 수가 없다.
  → 시끄러워서 자려야 잘 수가 없다.
- 너무 바빠서 쉴레야 쉴 수가 없다.
  → 너무 바빠서 쉬려야 쉴 수가 없다.

18
할려고 : 하려고

6시 돼서 퇴근할려고 하니까
회의 시작함.

와 내가 다 화날려고 하네.

할려고 ⊗

'하다'와 '-려고'를 결합시키면 '하려고'가 되는데, 이때 없던 'ㄹ' 받침을 넣어 '할려고'와 같이 사용하는 오류를 흔히 볼 수 있다. 사용하고자 하는 동사의 기본형을 생각해 보자. '사다'는 '사려고', '살다'는 '살려고'가 되겠다.

하려고 ◉

앞에 나온 예문의 틀린 부분을 고쳐 쓰면 다음과 같다.

6시 돼서 퇴근**하려고** 하니까
회의 시작함.

와 내가 다 화**나려고** 하네.

| 일상 속 예문 더하기 |

- 내일 놀이공원에 갈려고. → 내일 놀이공원에 가려고.
- 우리 집에 올려고? → 우리 집에 오려고?
- 누구 부를려고 그랬어? → 누구 부르려고 그랬어?
- 열심히 준비할려고 한다. → 열심히 준비하려고 한다.
- 내일 말할려고 그랬지. → 내일 말하려고 그랬지.
- 이제 잘려고 누웠어. → 이제 자려고 누웠어.
- 도와줄려고 그런 거야. → 도와주려고 그런 거야.

19
-구 : -고

난 이제 퇴근하려구.
넌 뭐 하구 있어?

아까 퇴근한다구 하지 않았어?
난 이제 밥 먹으려구 그랬지.

-구 ✕

'-구', '-려구', '-라구', '-다구' 등과 같이 사용하는 오류를 흔히 볼 수 있는데, '-고', '-려고', '-라고', '-다고'로 써야 옳다.

-고 ◎

앞에 나온 예문의 틀린 부분을 고쳐 쓰면 다음과 같다.

난 이제 퇴근하려**고**.
넌 뭐 하**고** 있어?

아까 퇴근한다**고** 하지 않았어?
난 이제 밥 먹으려**고** 그랬지.

| 일상 속 예문 더하기 |

- 난 또 뭐라구. ⟶ 난 또 뭐라고.
- 밥 먹구 과일도 먹어야지. ⟶ 밥 먹고 과일도 먹어야지.
- 거기까지 가라구? ⟶ 거기까지 가라고?
- 나가려구 하니까 비가 온다. ⟶ 나가려고 하니까 비가 온다.
- 잘생기구 성격도 좋아. ⟶ 잘생기고 성격도 좋아.
- 제가 정리하구 가겠습니다. ⟶ 제가 정리하고 가겠습니다.
- 이게 얼마라구요? ⟶ 이게 얼마라고요?

20
맞어 : 맞아

맞어 ⊗

어간의 끝음절 모음이 '아(야)'나 '오(요)'일 때는 어미를 '아'로 적어야 한다. 즉 '맞'에 쓰인 모음이 'ㅏ'이므로 '맞어'가 아닌 '맞아'로 적어야 옳다.

예를 더 들면 '받다', '잡다', '알다'도 '받', '잡', '알'에 쓰인 모음이 'ㅏ'이므로 '받어', '잡어', '알어'가 아닌 '받아', '잡아', '알아'로 적어야 한다.

맞아 ◎

앞에 나온 예문의 틀린 부분을 고쳐 쓰면 다음과 같다.

시험 연기됐다며, **맞아**?

응, **맞아**. 다행이지?

| 일상 속 예문 더하기 |

- 맞어, 나도 들었어. ⟶ 맞아, 나도 들었어.
- 너 계속 그러면 엄마한테 맞어.
  ⟶ 너 계속 그러면 엄마한테 맞아.
- 어때? 다 맞었어? ⟶ 어때? 다 맞았어?
- 야, 전화 좀 받어. ⟶ 야, 전화 좀 받아.
- 그것 좀 잡어! ⟶ 그것 좀 잡아!
- 그 정도는 나도 알어. ⟶ 그 정도는 나도 알아.

21
같어 : 같애 : 같에 : 같아

우리 여기 가자!
맛있을 것 같어.

나도 거기 보고 있었어.
사진도 잘 나올 것 같애.

같어, 같애, 같에 ⊗

셋 다 틀린 표기로, '같아'로 쓰는 게 맞다.

같아 ◎

앞에 나온 예문의 틀린 부분을 고쳐 쓰면 다음과 같다.

우리 여기 가자!
맛있을 것 **같아**.

나도 거기 보고 있었어.
사진도 잘 나올 것 **같아**.

| 일상 속 예문 더하기 |

- 찾아갈 수 있을 것 같애? ⟶ 찾아갈 수 있을 것 같아?
- 시험에 나올 것 같어. ⟶ 시험에 나올 것 같아.
- 그 옷 잘 어울리는 것 같에. ⟶ 그 옷 잘 어울리는 것 같아.
- 나 같에 보여? ⟶ 나 같아 보여?
- 진짜 힘들 것 같어. ⟶ 진짜 힘들 것 같아.
- 할 수 있을 것 같에. ⟶ 할 수 있을 것 같아.
- 다 모을 수 있을 것 같애? ⟶ 다 모을 수 있을 것 같아?

22
붙히다 : 붙이다

책상에 메모 붙혀 놨는데 봤어?

그래? 언제 붙혀 놨어?

붙히다 ✕

'붙다'의 사동사는 '붙이다'로, '붙히다'라는 말은 없는 말이다.

'높히다', '덮히다' 역시 틀린 말로, '높이다', '덮이다'로 표기해야 한다.

붙이다 ◎

앞에 나온 예문의 틀린 부분을 고쳐 쓰면 다음과 같다.

책상에 메모 **붙여** 놨는데 봤어?

그래? 언제 **붙여** 놨어?

| 일상 속 예문 더하기 |

- 자꾸 떨어지길래 풀로 붙혀 놨어.
  → 자꾸 떨어지길래 풀로 붙여 놨어.
- 누가 여기 붙혔어? → 누가 여기 붙였어?
- 여기에 붙히면 안 된다고 했지?
  → 여기에 붙이면 안 된다고 했지?
- 소리 좀 높혀 봐. → 소리 좀 높여 봐.
- 온 세상이 눈으로 덮혔다. → 온 세상이 눈으로 덮였다.

23
사겼다 : 사귀었다

나한테 말도 안 하고
몰래 사겼다니.

미안, 회사에 비밀로 하기로 하고
사겨서 말하지 못했어.

사겼다 ✕

'사귀다'를 활용해야 하는 자리에 '사겼다', '사겨서'와 같이 쓰는 경우를 볼 수 있는데, 이는 틀린 표기로 '사귀었다', '사귀어서'와 같이 써야 한다.

'바뀌다', '할퀴다' 역시 '바꼈다', '할켰다'가 아닌 '바뀌었다', '할퀴었다'로 쓰는 게 옳다.

사귀었다 ◎

앞에 나온 예문의 틀린 부분을 고쳐 쓰면 다음과 같다.

나한테 말도 안 하고
몰래 **사귀었다**니.

미안, 회사에 비밀로 하기로 하고
사귀어서 말하지 못했어.

| 일상 속 예문 더하기 |

- 걔네 둘이 사겼다며? → 걔네 둘이 사귀었다며?
- 이상형이랑 사겨서 좋겠다. → 이상형이랑 사귀어서 좋겠다.
- 예전에 사겼던 사람이야. → 예전에 사귀었던 사람이야.
- 언제 바꼈어? → 언제 바뀌었어?
- 계절이 바껴서 좋다. → 계절이 바뀌어서 좋다.
- 고양이가 할켜서 상처가 났다.
  → 고양이가 할퀴어서 상처가 났다.

24
잠구다 : 잠그다

엄마,
나올 때 현관문 잘 잠궜지?

응 잘 잠구고 나왔지.

잠구다 ✖

'잠그다'를 활용해야 하는 자리에 '잠구다'를 활용하여 '잠궜다', '잠구고'와 같이 쓰는 오류를 볼 수 있는데 '잠구다'는 없는 말로 '잠갔다', '잠그고'와 같이 써야 한다.

'담그다' 역시 '담구다'로 표기하는 경우가 있는데, '담궜다', '담구고'가 아닌 '담갔다', '담그고'로 써야 한다.

잠그다 ◉

앞에 나온 예문의 틀린 부분을 고쳐 쓰면 다음과 같다.

엄마,
나올 때 현관문 잘 **잠갔지**?

응 잘 **잠그고** 나왔지.

| 일상 속 예문 더하기 |

- 창문 제대로 잠궜어요? → 창문 제대로 잠갔어요?
- 물 좀 잠궈 줄래? → 물 좀 잠가 줄래?
- 입을 잠구고 있겠습니다. → 입을 잠그고 있겠습니다.
- 물에 담궈 놨더니 차갑다. → 물에 담가 놨더니 차갑다.
- 따뜻한 물에 손 좀 담궈. → 따뜻한 물에 손 좀 담가.
- 네가 좋아하는 물김치 담궜지.
  → 네가 좋아하는 물김치 담갔지.

25
힘이 쎄다 : 힘이 세다

운동을 하면 힘이 좀 쎄지려나?

지금보다는 쎄지겠지?
운동 시작하게?

힘이 쎄다 ⓧ

'세다'를 활용해야 하는 자리에 '쎄지다', '쎘다'와 같이 쓰는 오류를 볼 수 있는데 '세지다', '셌다'와 같이 써야 옳다.

힘이 세다 ◎

앞에 나온 예문의 틀린 부분을 고쳐 쓰면 다음과 같다.

운동을 하면 힘이 좀 **세지려나**?

지금보다는 **세지겠지**?
운동 시작하게?

| 일상 속 예문 더하기 |

- 힘이 쎘으면 좋겠어. ⟶ 힘이 셌으면 좋겠어.
- 바람이 쎄게 불고 있다. ⟶ 바람이 세게 불고 있다.
- 불이 쎄니까 조심해. ⟶ 불이 세니까 조심해.
- 우리 애 고집이 쎄. ⟶ 우리 애 고집이 세.
- 여기서 나보다 술이 쎈 사람은 없을걸?
  ⟶ 여기서 나보다 술이 센 사람은 없을걸?

26
모자르다 : 모자라다

엄마, 학원비 내려고 보니까
5만 원이 모자른데?

어머, 모자를 리가 없는데…

모자르다 ✕

'모자라다'를 활용해야 하는 자리에 '모자른데', '모자름'과 같이 쓰는 오류를 볼 수 있는데 '모자란데', '모자람'과 같이 써야 옳다.

모자라다

앞에 나온 예문의 틀린 부분을 고쳐 쓰면 다음과 같다.

엄마, 학원비 내려고 보니까
5만 원이 **모자란데**?

어머, **모자랄** 리가 없는데...

일상 속 예문 더하기

- 1점 더 모자르면 탈락이다. ⟶ 1점 더 모자라면 탈락이다.
- 개수가 모자른데 어떻게 하지?
  ⟶ 개수가 모자란데 어떻게 하지?
- 계산을 하려고 보니 돈이 모자랐다.
  ⟶ 계산을 하려고 보니 돈이 모자랐다.
- 조금은 모자르지만 누구보다 열심히 공부한다.
  ⟶ 조금은 모자라지만 누구보다 열심히 공부한다.

27
건들이다 : 건드리다

'건들이지 마시오'라고 써 놨는데도
언니가 내 옷 입고 나감.

잠자는 사자의 콧털을 건들였군.

건들이다 ✕

'건들이다'는 잘못된 표기로 '건들이고', '건들이지'와 같이 활용하는 오류를 볼 수 있는데, '건드리다'를 활용하여 '건드리고', '건드리지'와 같이 써야 옳다.

더불어, '건들다'는 '건드리다'의 준말로 '건들고', '건들지'와 같이 쓰는 것도 가능하다.

건드리다 ◎

앞에 나온 예문의 틀린 부분을 고쳐 쓰면 다음과 같다.

'**건드리지** 마시오'라고 써 놨는데도
언니가 내 옷 입고 나감.

잠자는 사자의 콧털을 **건드렸군**.

| 일상 속 예문 더하기 |

- 살짝 건들였는데 망가졌다. ⟶ 살짝 건드렸는데 망가졌다.
- 내 책상 건들인 사람 누구야?
  ⟶ 내 책상 건드린 사람 누구야?
- 건들이지 말라고 그랬지? ⟶ 건드리지 말라고 그랬지?
- 왜 자꾸 건들이는 거야? ⟶ 왜 자꾸 건드리는 거야?
- 성질을 건들이네. ⟶ 성질을 건드리네.
- 이거 누가 건들였어? ⟶ 이거 누가 건드렸어?

28
딛었다 : 디뎠다

아까 계단 잘못 딛어서 발목 삠.

거기 계단이 좀 이상해.
잘못 딛으면 큰일 나겠더라.

딛었다 ⊗

'딛다'는 '디디다'의 준말인데, 준말은 모음 어미와 결합하는 것을 허용하지 않는다. '딛다'에 '-어', '-으면' 등이 붙을 수 없다는 말이다. 따라서 '딛어', '딛으면'이 아닌 '디디다'를 활용하여 '디뎌', '디디면'과 같이 써야 옳다.

디뎠다

앞에 나온 예문의 틀린 부분을 고쳐 쓰면 다음과 같다.

아까 계단 잘못 **디뎌서** 발목 삠.

거기 계단이 좀 이상해.
잘못 **디디면** 큰일 나겠더라.

일상 속 예문 더하기

- 오른발 먼저 딛을 수 있겠어?
  → 오른발 먼저 디딜 수 있겠어?
- 발을 헛딛어서 병원을 찾았다.
  → 발을 헛디뎌서 병원을 찾았다.
- 한 발 내딛었다. → 한 발 내디뎠다.
- 첫발을 내딛은 지 1년이나 지났다.
  → 첫발을 내디딘 지 1년이나 지났다.

29
갖어 : 가져

이 옷 안 입을 거면 내가 갖어도 됨?

그래, 네가 갖어라.

갖어 ✕

'갖다'는 '가지다'의 준말인데, 바로 앞에서 설명한 대로 준말은 모음 어미와 결합하는 것을 허용하지 않는다. '갖다'에 '-어', '-으면' 등이 붙을 수 없다는 말이다. 따라서 '갖어', '갖으면'이 아닌 '가지다'를 활용하여 '가져', '가지면'과 같이 써야 옳다.

가져 ◎

앞에 나온 예문의 틀린 부분을 고쳐 쓰면 다음과 같다.

이 옷 안 입을 거면 내가 **가져**도 됨?

그래, 네가 **가져**라.

| 일상 속 예문 더하기 |

- 꿈을 크게 갖어라. ⟶ 꿈을 크게 가져라.
- 돈을 많이 갖으면 행복할까? ⟶ 돈을 많이 가지면 행복할까?
- 그 정도 갖었으면 만족할 줄 알아야지.
  ⟶ 그 정도 가졌으면 만족할 줄 알아야지.
- 아기를 갖은 딸에게 꽃을 선물했다.
  ⟶ 아기를 가진 딸에게 꽃을 선물했다.

30
추스리다 : 추스르다

과장님, 부장님 통해서 들었습니다.
마음 잘 추스리시길 바랄게요.

고마워요.
잘 추스려서 이겨 낼게요.

추스리다 ✕

'추스리다'는 잘못된 표기로 '추스리고', '추스려서'와 같이 활용하는 오류를 볼 수 있는데, '추스르다'를 활용하여 '추스르고', '추슬러서*'와 같이 써야 옳다.

* 기본형이 '추스르다'라서 '추스러서'로 활용되지 않을까 생각할 수도 있지만, '르 불규칙 활용(어간의 끝이 '르' 인 경우 '르' 가 '-아, -어'와 결합 시 'ㄹ ㄹ'로 변함)이 적용되는 단어라서 '추슬러서'로 활용된다.

추스르다 ⊙

앞에 나온 예문의 틀린 부분을 고쳐 쓰면 다음과 같다.

과장님, 부장님 통해서 들었습니다.
마음 잘 **추스르시길** 바랄게요.

고마워요.
잘 **추슬러서** 이겨 낼게요.

| 일상 속 예문 더하기 |

- 힘들지만 잘 추스려야지. ⟶ 힘들지만 잘 추슬러야지.
- 생각을 추스릴 시간이 필요하다.
  ⟶ 생각을 추스를 시간이 필요하다.
- 이제야 몸을 추스릴 수 있을 것 같다.
  ⟶ 이제야 몸을 추스를 수 있을 것 같다.
- 마음을 추스리며 지냈다. ⟶ 마음을 추스르며 지냈다.
- 감정을 추스린 후 만나자. ⟶ 감정을 추스른 후 만나자.

31
설레이다 : 설레다

드디어 내일 출발이다!
설레여서 잠이 안 옴.

나도, 오랜만의 여행이라 설레임.

설레이다 ⊗

'설레다'를 활용해야 하는 자리에 '설레이다'를 활용하여 '설레였다', '설레임'과 같이 쓰는 오류를 볼 수 있는데 '설레이다'는 없는 말로 '설레었다(설렜다)', '설렘'과 같이 써야 한다.

설레다 ◎

앞에 나온 예문의 틀린 부분을 고쳐 쓰면 다음과 같다.

드디어 내일 출발이다!
설레어서(설레서) 잠이 안 옴.

나도, 오랜만의 여행이라 **설렘**.

| 일상 속 예문 더하기 |

- 설레이는 마음으로 준비했습니다.
  → 설레는 마음으로 준비했습니다.
- 그는 무척이나 설레였다고 했다.
  → 그는 무척이나 설레었다고(설렜다고) 했다.
- 굉장히 설레이고 기대가 된다.
  → 굉장히 설레고 기대가 된다.
- 마음이 괜스레 설레인다. → 마음이 괜스레 설렌다.

32
되뇌이다 : 되뇌다

아까 팀장님이 한 말
되뇌일수록 기분이 나빠.

자꾸 되뇌이지 말고 그냥 잊어.

되뇌이다 ✕

'되뇌다'를 활용해야 하는 자리에 '되뇌이다'를 활용하여 '되뇌였다', '되뇌임'과 같이 쓰는 오류를 볼 수 있는데 '되뇌이다'는 없는 말로 '되뇌었다(되뇄다)', '되뇜'과 같이 써야 한다.

되뇌다 ◎

앞에 나온 예문의 틀린 부분을 고쳐 쓰면 다음과 같다.

아까 팀장님이 한 말
되뇔수록 기분이 나빠.

자꾸 **되뇌지** 말고 그냥 잊어.

| 일상 속 예문 더하기 |

- 몇 번이고 되뇌였지만 금세 잊어버리고 말았다.
  → 몇 번이고 되뇌었지만(되뇄지만) 금세 잊어버리고 말았다.
- 이렇게나 되뇌이는데 잊을 수 있을까.
  → 이렇게나 되뇌는데 잊을 수 있을까.
- 같은 말을 계속 되뇌이고 있다.
  → 같은 말을 계속 되뇌고 있다.
- 자꾸 되뇌이면 안 돼. → 자꾸 되뇌면 안 돼.

33
깨닭다 : 깨닫다

부장님과 이야기할수록
제가 부족한 점이 많다는 걸 깨닭습니다.

아니에요,
지금도 충분히 잘하고 있어요.

깨닭다 ✕

'깨닫다'를 활용해야 하는 자리에 '깨닭다'를 활용하여 '깨닭았다, 깨닭음'과 같이 쓰는 오류를 볼 수 있는데 '깨닭다'는 없는 말로 '깨달았다, 깨달음'과 같이 써야 한다.

※ 기본형이 '깨닫다'라서 '깨닫았다, 깨닫음'으로 활용되지 않을까 생각할 수도 있지만, 'ㄷ 불규칙 활용(어간의 끝이 'ㄷ' 받침인 경우 모음으로 시작하는 어미와 결합 시 'ㄹ'로 변함)이 적용되는 단어라서 '깨달았다, 깨달음'과 같이 활용된다.

깨닫다 ⊚

앞에 나온 예문의 틀린 부분을 고쳐 쓰면 다음과 같다.

부장님과 이야기할수록
제가 부족한 점이 많다는 걸 **깨닫습니다**.

아니에요,
지금도 충분히 잘하고 있어요.

| 일상 속 예문 더하기 |

- 깨닳지 못할 수도 있다. → 깨닫지 못할 수도 있다.
- 드디어 깨닳게 되었다. → 드디어 깨닫게 되었다.
- 언젠가는 깨닳을 수 있겠지. → 언젠가는 깨달을 수 있겠지.
- 네가 꼭 깨닳으면 좋겠다. → 네가 꼭 깨달으면 좋겠다.
- 이제야 깨닳았니? → 이제야 깨달았니?
- 깨닳으니 세상이 달리 보인다.
  → 깨달으니 세상이 달리 보인다.

34
잊혀지다 : 잊히다

너무 괴로워서
빨리 잊혀졌으면 좋겠어.

언젠가는 잊혀지겠지.

잊혀지다 ⊗

'잊히다'는 '잊다'의 피동사인데, 여기에 피동의 뜻을 나타내는 '-어지다'를 또 붙여 '잊혀지다'와 같이 쓰는 경우가 있다. 이는 이중 피동으로 바르지 않은 쓰임이다.

'잊혀지다' 말고도 일상 속에서 많이 쓰이는 이중 피동 표현으로는 '찢겨지다', '읽혀지다', '보여지다' 등이 있다.

잊히다 ⊙

앞에 나온 예문의 틀린 부분을 고쳐 쓰면 다음과 같다.

너무 괴로워서
빨리 **잊혔으면** 좋겠어.

언제가는 **잊히겠지**.

| 일상 속 예문 더하기 |

- 이미 잊혀진 사람이다. ⟶ 이미 잊힌 사람이다.
- 그렇게 잊혀지는 거지. ⟶ 그렇게 잊히는 거지.
- 시간이 가도 잊혀지지 않아. ⟶ 시간이 가도 잊히지 않아.
- 옷이 책상에 걸려 찢겨졌다. ⟶ 옷이 책상에 걸려 찢겼다.
- 재미있어서 빨리 읽혀진다. ⟶ 재미있어서 빨리 읽힌다.
- 상승할 것으로 보여집니다. ⟶ 상승할 것으로 보입니다.

35
가르키다 : 가르치다

언니, 나 수학 좀 가르켜 줘.

그래.
대신 가르켜 줄 때 말 잘 들어야 함.

가르키다 ✕

'가르치다'를 활용해야 하는 자리에 '가르키다'를 활용하여 '가르켰다', '가르킴'과 같이 쓰는 오류를 볼 수 있는데 '가르키다'는 없는 말로 '가르쳤다', '가르침'과 같이 써야 한다.

※ '손가락 따위로 어떤 방향이나 대상을 집어서 보이거나 말하거나 알리다'라는 의미의 동사는 '가리키다'이다.

가르치다 ◎

앞에 나온 예문의 틀린 부분을 고쳐 쓰면 다음과 같다.

언니, 나 수학 좀 **가르쳐** 줘.

그래.
대신 **가르쳐** 줄 때 말 잘 들어야 함.

| 일상 속 예문 더하기 |

- 가르켜 주신다면 열심히 배우겠습니다.
  ⟶ 가르쳐 주신다면 열심히 배우겠습니다.
- 저 학원은 국어만 가르킨다. ⟶ 저 학원은 국어만 가르친다.
- 아이에게 예절을 가르키기 너무 어렵네요.
  ⟶ 아이에게 예절을 가르치기 너무 어렵네요.
- 손가락으로 사람 가르키는 거 아니야.
  ⟶ 손가락으로 사람 가리키는 거 아니야.

36
-ㄹ런지 : -ㄹ는지

이번 주 토요일에 영화 보러 갈까?
엄마한테도 물어보자.

엄마가 갈런지 모르겠네.
일단 물어볼게.

-ㄹ런지 ✕

'-ㄹ는지'를 활용해야 할 자리에 '할런지', '갈런지'와 같이 '-ㄹ런지'로 잘못 표기하는 경우를 볼 수 있는데 '할는지', '갈는지'와 같이 써야 옳다.

-ㄹ는지 ◎

앞에 나온 예문의 틀린 부분을 고쳐 쓰면 다음과 같다.

이번 주 토요일에 영화 보러 갈까?
엄마한테도 물어보자.

엄마가 **갈는지** 모르겠네.
일단 물어볼게.

일상 속 예문 더하기

- 나를 어떻게 생각할런지 모르겠다.
  → 나를 어떻게 생각할는지 모르겠다.
- 집에 잘 도착했을런지 모르겠네.
  → 집에 잘 도착했을는지 모르겠네.
- 비가 올런지 날씨가 흐리다. → 비가 올는지 날씨가 흐리다.
- 멀어서 올 수 있을런지 알 수가 없다.
  → 멀어서 올 수 있을는지 알 수가 없다.

37
삼가하다 : 삼가다

부장님이 하는 그 발언 불쾌한데...
삼가해 달라고 말씀드려도 괜찮을까?

응, 일단 정중하게 말씀드려 봐.
"삼가해 주시면 감사드리겠습니다."라고...

삼가하다 ✖

'가짐이나 언행을 조심하다', '꺼리는 마음으로 양이나 횟수가 지나치지 아니하도록 하다'라는 뜻의 동사는 '삼가다'이다. '삼가하다'로 알고 '삼가해 주세요', '삼가해야 한다'와 같이 사용하는 경우가 있는데 이는 잘못된 쓰임이다.

삼가다 ◎

앞에 나온 예문의 틀린 부분을 고쳐 쓰면 다음과 같다.

부장님이 하는 그 발언 불쾌한데…
삼가 달라고 말씀드려도 괜찮을까?

응, 일단 정중하게 말씀드려 봐.
"**삼가** 주시면 감사드리겠습니다."라고…

| 일상 속 예문 더하기 |

- 될 수 있으면 술은 삼가하는 것이 좋습니다.
  ⟶ 될 수 있으면 술은 삼가는 것이 좋습니다.
- 업무 시간 중 잡담은 삼가해 주시길 바랍니다.
  ⟶ 업무 시간 중 잡담은 삼가 주시길 바랍니다.
- 안전을 위해 자리 이동은 삼가해야 합니다.
  ⟶ 안전을 위해 자리 이동은 삼가야 합니다.

38
한 켠 : 한편

그리워서
아직도 마음 한 켠이 아파...

그렇다고 먼저 연락하면 안 됨.

한 켠 ⊗

'어느 하나의 편이나 방향'의 의미로 '한 켠'을 사용하는 경우를 볼 수 있는데 '켠'은 '편'의 잘못된 말로 '한편'으로 써야 한다.

한편 ◎

앞에 나온 예문의 틀린 부분을 고쳐 쓰면 다음과 같다.

그리워서
아직도 마음 **한편**이 아파...

그렇다고 먼저 연락하면 안 됨.

| 일상 속 예문 더하기 |

- 에어컨, 거실 한 켠에 두면 되지 않을까?
  → 에어컨, 거실 한편에 두면 되지 않을까?
- 가을 타나 봐, 가슴 한 켠이 공허해.
  → 가을 타나 봐, 가슴 한편이 공허해.
- 짐이 좀 많지? 방 한 켠에 잘 정리해 둘게.
  → 짐이 좀 많지? 방 한편에 잘 정리해 둘게.

39
땡기다 : 당기다

오늘따라 술이 땡긴다...

한잔하러 갈까?

땡기다 ⊗

'좋아하는 마음이 일어나 저절로 끌리다', '입맛이 돋우어지다'라는 뜻을 가진 단어는 '당기다'이다. 해당 의미를 사용해야 할 자리에 '땡기다'를 활용하는 경우가 있는데 이는 비표준어이므로 적절한 표기가 아니다.

※ 땅기다: 몹시 단단하고 팽팽하게 되다.(예: 근육이 땅기다.)

※ 댕기다: 불이 옮아 붙다. 또는 그렇게 하다.(예: 불을 댕기다.)

당기다 ◎

앞에 나온 예문의 틀린 부분을 고쳐 쓰면 다음과 같다.

오늘따라 술이 **당긴다**...

한잔하러 갈까?

| 일상 속 예문 더하기 |

- 라면 땡기는 사람! ⟶ 라면 당기는 사람!
- 요즘 왜 이렇게 입맛이 땡기는지 모르겠네.
  ⟶ 요즘 왜 이렇게 입맛이 당기는지 모르겠네.
- 치킨은 맨날 땡겨. ⟶ 치킨은 맨날 당겨.
- 짠 거 먹으니까 단 게 땡기지? ⟶ 짠 거 먹으니까 단 게 당기지?
- 마음이 땡기는데 어떡하라고.
  ⟶ 마음이 당기는데 어떡하라고.

40
플러그를 꼽다 : 플러그를 꽂다

안 켜지는데?
플러그 꼽았어?

응, 꼽았는데?

플러그를 꼽다 ✖

'쓰러지거나 빠지지 아니하게 박아 세우거나 끼우다', '던져서 거꾸로 박히게 하다', '시선 따위를 한곳에 고정하다'라는 뜻을 가진 단어는 '꽂다'이다. 해당 의미를 나타내야 할 자리에 '꼽다'를 활용하는 경우가 있는데 이는 잘못된 쓰임이다.

※ 꼽다: 수나 날짜를 세려고 손가락을 하나씩 헤아리다. 골라서 지목하다.(예: 개수를 손가락으로 꼽아 봤다. 존경하는 사람을 꼽아 보자.)

플러그를 꽂다 ◎

앞에 나온 예문의 틀린 부분을 고쳐 쓰면 다음과 같다.

안 켜지는데?
플러그 **꽂았어**?

응, **꽂았는데**?

| 일상 속 예문 더하기 |

- 이어폰을 꼽고 있어서 못 들었어요.
  → 이어폰을 꽂고 있어서 못 들었어요.
- 웬일로 머리핀을 꼽고 왔어? → 웬일로 머리핀을 꽂고 왔어?
- 우산을 썼으면 접어서 꼽아 둬야지.
  → 우산을 썼으면 접어서 꽂아 둬야지.
- 열쇠를 꼽고 오른쪽으로 돌리면 돼.
  → 열쇠를 꽂고 오른쪽으로 돌리면 돼.

2장

그때그때 달라요

01
율 : 률

과장님,
ㅇㅇ년ㅇㅇ제품 생산률입니다.

고마워요.
혹시, 수익율도 정리됐나요?

모음(ㅏ, ㅑ, ㅓ...) 뒤 + ㄴ 받침 뒤에는 '율'

'하자', '증가'와 같이 받침 없이 끝나거나, '생산', '교환'과 같이 'ㄴ' 받침으로 끝나는 명사 뒤에는 '율'을 붙여, '하자율', '증가율', '생산율', '교환율'과 같이 쓴다.

ㄴ을 제외한 받침 뒤에는 '률'

'수익', '발생', '보급'과 같이 'ㄴ'을 제외한 받침으로 끝나는 명사 뒤에는 '률'을 붙여, '수익률', '발생률', '보급률'

과 같이 쓴다.

앞에 나온 예문의 틀린 부분을 고쳐 쓰면 다음과 같다.

과장님,
ㅇㅇ년ㅇㅇ제품 **생산율**입니다.

고마워요.
혹시, **수익률**도 정리됐나요?

| 일상 속 예문 더하기 |

- 할인률이 40%나 된다. → 할인율이 40%나 된다.
- 책상 정리를 했더니 능율이 오르는 것 같다.
  → 책상 정리를 했더니 능률이 오르는 것 같다.
- 시청율 1위를 차지했다. → 시청률 1위를 차지했다.
- 10대의 유병율이 가장 높게 나왔다.
  → 10대의 유병률이 가장 높게 나왔다.
- 치사률이 높은 병이다. → 치사율이 높은 병이다.

02
맞추다 : 맞히다

문제 다 푼 사람은
뒤에 있는 정답이랑 맞혀 봐.

벌써 맞혀 봤어요.
한 개 틀리고 아홉 개 맞췄어요.

맞추다

'맞추다'는 '제자리에 맞게 대어 붙이다', '대상끼리 서로 비교하다', '서로 어긋남이 없이 조화를 이루다'라는 뜻으로 '줄을 맞추다', '시간을 맞추다'와 같이 쓸 수 있다.

맞히다

'맞히다'는 '맞다'의 사동사로 '답을 틀리지 않게 하다', '물체나 비를 닿게 하다'라는 뜻으로 '어려운 문제를 맞히다', '과녁을 맞히다', '주사를 맞히다'와 같이 쓸 수 있다.

앞에 나온 예문의 틀린 부분을 고쳐 쓰면 다음과 같다.

문제 다 푼 사람은
뒤에 있는 정답이랑 **맞춰** 봐.

벌써 **맞춰** 봤어요.
한 개 틀리고 아홉 개 **맞혔**어요.

| 일상 속 예문 더하기 |

- 교복을 맞혔다. ⟶ 교복을 맞췄다.
- 순서에 맞혀 진행됩니다. ⟶ 순서에 맞춰 진행됩니다.
- 퍼즐을 전부 맞혔다. ⟶ 퍼즐을 전부 맞췄다.
- 이거 얼마게? 맞춰 봐. ⟶ 이거 얼마게? 맞혀 봐.
- 돌멩이를 던져 문에 맞췄다. ⟶ 돌멩이를 던져 문에 맞혔다.

※ '정답을 맞히다'와 '정답을 맞추다'는 의미에 따라 둘 다 쓸 수 있다. '정답을 확인했더니 맞았다'의 의미면 '맞히다'를, '맞았는지 틀렸는지 비교하다'의 의미면 '맞추다'를 쓸 수 있겠다.

03
로써 : 로서

언니로써 한마디하는데!
(심한 욕)

말로서 천 냥 빚을 갚는다고 했어,
좋게 말해 줘.

로써

'로써'는 '어떤 물건의 재료나 원료', '어떤 일의 수단이나 도구', '어떤 일의 기준이 되는 시간'의 의미로 '이 문은 철로써 제작한다', '이것으로써 문제를 해결했다'와 같이 쓸 수 있다.

로서

'로서'는 '지위나 신분 또는 자격'의 의미로 '기업의 대표로서 사과드립니다', '자식으로서 부끄럽지 않게 행동하겠습니다'와 같이 쓸 수 있다.

앞에 나온 예문의 틀린 부분을 고쳐 쓰면 다음과 같다.

언니로서 한마디하는데!
(심한 욕)

말로써 천 냥 빚을 갚는다고 했어,
좋게 말해 줘.

| 일상 속 예문 더하기 |

- 글로서 마음을 전했다. ⟶ 글로써 마음을 전했다.
- 결혼한 지 올해로서 10년이 됐다.
  ⟶ 결혼한 지 올해로써 10년이 됐다.
- 부모로써 책임지고 가르치겠습니다.
  ⟶ 부모로서 책임지고 가르치겠습니다.
- 친구로써 걱정돼서 그래. ⟶ 친구로서 걱정돼서 그래.
- 국보로써 긴 역사를 지녔다. ⟶ 국보로서 긴 역사를 지녔다.

04
난이도 : 난도

이번 시험 망한 것 같아.
난이도가 너무 높았어.

응, 난이도 좀 낮아졌으면 좋겠어.

난이도

'난이도'는 '어려움과 쉬움의 정도'라는 의미로 '난이도별로 문제를 구분해 두었다', '시험의 난이도를 조절했다'와 같이 쓸 수 있다.

난도

'난이도가 높다'고 쓰는 경우가 많은데, 이는 '어려움도 높고 쉬움도 높다'라는 의미가 되어 말이 안 되므로, '어려움의 정도'의 의미를 지닌 '난도'를 사용하여 '난도가 높다'라고 해야 한다.

앞에 나온 예문의 틀린 부분을 고쳐 쓰면 다음과 같다.

이번 시험 망한 것 같아.
난도가 너무 높았어.

응, **난도** 좀 낮아졌으면 좋겠어.

| 일상 속 예문 더하기 |

- 이 문제집은 고난이도의 문제들로만 구성되어 있다.
  → 이 문제집은 고난도의 문제들로만 구성되어 있다.
- 합격자가 많아서 시험의 난이도를 높여야 될 것 같다.
  → 합격자가 많아서 시험의 난도를 높여야 될 것 같다.
- 난이도가 높은 동작을 성공함으로써 1등을 차지했다.
  → 난도가 높은 동작을 성공함으로써 1등을 차지했다.

05
놀래다 : 놀라다

깜짝 놀래라. 너한테 보낼 문자
팀장님한테 보낼 뻔했잖아.

놀랠 만했네.

놀래다

'놀래다'는 '놀라다'의 사동사로 '남을 무섭게 혹은 두근거리게 하거나, 감동하게 하다'라는 의미로 '숨어 있다가 깜작 놀래 주자', '놀래 주려고 비밀로 했다'와 같이 쓸 수 있다.

놀라다

'놀라다'는 '뜻밖의 일이나 무서움에 가슴이 두근거리다', '뛰어나거나 신기한 것을 보고 매우 감동하다'라는 의미인데, '놀라다' 대신 '놀래다'를 활용하는 오류를 흔히 볼 수 있다.

앞에 나온 예문의 틀린 부분을 고쳐 쓰면 다음과 같다.

깜짝 **놀라**라. 너한테 보낼 문자
팀장님한테 보낼 뻔했잖아.

놀랄 만했네.

| 일상 속 예문 더하기 |

- 창문을 두드리면 강아지가 놀래요.
  ⟶ 창문을 두드리면 강아지가 놀라요.
- 아이고, 놀래라. ⟶ 아이고, 놀라라.
- 말도 없이 나타나서 깜짝 놀랬잖아.
  ⟶ 말도 없이 나타나서 깜짝 놀랐잖아.
- 월요일인 줄 알고 깜짝 놀랬네.
  ⟶ 월요일인 줄 알고 깜짝 놀랐네.

06
-대 : -데

야, 팀장님
다음 달에 퇴사하신데.

정말? 어쩐지 요즘따라
자리를 자주 비우시대.

-대

직접 경험한 사실이 아니라 남이 말한 내용을 간접적으로 전달할 때 '-대'를 쓴다. '-대'는 '- 다고 해'가 줄어든 말로, 헷갈린다면 '-다고 해'를 넣어 보자.

-데

과거에 직접 경험한 사실을 말할 때 '-데'를 쓰는데 '-데'는 '-더라'의 의미로 쓰이므로, 헷갈린다면 '-더라'를 넣어

보자.

앞에 나온 예문의 틀린 부분을 고쳐 쓰면 다음과 같다.

야, 팀장님
다음 달에 퇴사하신**대**.

정말? 어쩐지 요즘따라
자리를 자주 비우시**데**.

| 일상 속 예문 더하기 |

- (누가 그러는데) 신부가 엄청 예쁘대.
  (내가 봤는데) 신부가 엄청 예쁘데.
- (누가 그러는데) 여전히 멋있대.
  (내가 봤는데) 여전히 멋있데.
- 둘이 사귄데. ⟶ 둘이 사귄대.
- 친구도 같이 온데? ⟶ 친구도 같이 온대?
- 저녁에 들른데. ⟶ 저녁에 들른대.

07
뱃속 : 배 속

배고파서
뱃속에서 자꾸 소리 나.

얼른 밥 먹으러 가자.

뱃속

'뱃속'은 '마음을 속되게 이르는 말'인데, '실제 배 안'을 나타내야 하는 자리에 잘못 사용되는 경우가 있다. '뱃속의 장기', '뱃속의 통증'과 같은 글은 잘못된 쓰임이다.

배 속

'배 속'은 '실제 배 안'을 나타낼 때 쓰이는데, 한 단어가 아니므로 띄어 쓴다.

앞에 나온 예문의 틀린 부분을 고쳐 쓰면 다음과 같다.

배고파서
배 속에서 자꾸 소리 나.

얼른 밥 먹으러 가자.

| 일상 속 예문 더하기 |

- 그 사람은 항상 자기 뱃속을 채우기 바빠.
  (뱃속을 채우다: 염치없이 자기 욕심만 차리다.)
- 뱃속의 아기는 건강해요. ⟶ 배 속의 아기는 건강해요.

※ 기존, 의미에 따라 '머릿속'과 '머리 속'으로 구분하여 표기했던 부분이, 2024년 1월 말 해당 내용이 수정됨에 따라 구분 없이 '머릿속'으로 표기하는 것으로 통일되었다. 함께 변경된 단어로는 '입안, 입속, 코안, 콧속, 뼛속, 가슴안, 머리뼈안, 귓속'이 있다. '뱃속'은 변경된 문구가 아니므로 기존대로 구분하여 사용한다.

3장

설마, 아직도?

| 빠르게 훑어보는 기초 중의 기초 맞춤법 |

굳이

구지, 궂이 ⓧ

네가 굳이 그렇게 하고 싶다면 어쩔 수 없지.

감기가 낫다

감기가 낳다 ⓧ

감기가 나으면 맛있는 거 먹으러 가자.

행복하길 바라요

행복하길 바래요 ⓧ

집에 도착하면 연락하길 바라.

십상

쉽상 ⓧ

공부를 안 하면 성적이 떨어지기 십상이다.

염두에 두다

염두해 두다 ⊗

항상 안전을 염두에 둬야 한다.

부기를 빼다

붓기를 빼다 ⊗

라면을 먹고 잤더니 부기가 심하다.

개수

갯수 ⊗

개수를 세어 똑같이 나누었다.

금세 없어졌다

금새 없어졌다 ⊗

말다툼이 있었지만 금세 화해했다.

오랜만이야

오랫만이야 ✕

오랜만에 보니까 참 좋다.

오랫동안

오랜동안 ✕

오랫동안 기다렸어요.

왠지

웬지 ✕

오늘따라 왠지 더 보고 싶다.

웬

왠 ✕

어머, 이게 웬 떡이니.

인마

임마 ✖

인마, 멋있어졌네.

카드로 결제하다

카드로 결재하다 ✖

결제해야 할 금액은 오백만 원입니다.

결재를 받다

결제를 받다 ✖

결재 서류에 서명을 받다.

화병

홧병 ✖

그 사건으로 화병이 들었다.

뇌졸중

뇌졸증 ❌

뇌졸중으로 치료 중이다.

패혈증

폐혈증 ❌

패혈증을 일으켰다.

자리를 빌려

자리를 빌어 ❌

이 자리를 빌려 감사의 말씀을 전합니다.

어떻게 해, 어떡해

어떻해 ❌

어떻게 해? 어떡하면 좋을까?

함부로

함부러 ⊗

함부로 말하지 마라.

일부러

일부로 ⊗

미안해, 일부러 그런 건 아니야.

곰곰이

곰곰히 ⊗

곰곰이 생각해 봤는데 가는 게 맞는 것 같아.

틈틈이

틈틈히 ⊗

자료를 틈틈이 모으고 있다.

자르다
짜르다 ⊗

회사에서 잘렸다.

더럽다
드럽다 ⊗

더럽게 재미없네.

씻다
씼다 ⊗

과일은 씻어 먹어야지.

빼앗다
빼았다 ⊗

돈을 빼앗겼다.

사달

사단 ⊗

어쩐지 사달이 날 줄 알았다.

단출

단촐 ⊗

단출하게 입고 가도 돼.

희한하다

희안하다 ⊗

정말 희한하다니까?

드러나다

들어나다 ⊗

사건의 전말이 드러났다.

북엇국

북어국 ✕

북엇국, 순댓국, 만둣국, 뭇국 모두 먹고 싶다.

전채 요리

전체 요리 ✕

전채 요리가 제일 맛있었다.

모둠 회

모듬 회 ✕

모둠 회가 여러 가지 맛을 볼 수 있어서 좋았다.

제가

저가 ✕

제가 하겠습니다.

파이팅

화이팅 ✖

파이팅! 이겨라!

워크숍

워크샵 ✖

주말에는 워크숍에 참석할 예정이다.

리더십

리더쉽 ✖

리더십이 있는 사람에게 회사를 맡기고 싶다.

콘셉트

컨셉 ✖

새로운 콘셉트가 필요하다.

부록

복습 문제

나는 꼭 행복해질 (꺼야 / 거야).

정답: 나는 꼭 행복해질 거야.

나도 그거 살 (건데 / 껀데), 어때?

정답: 나도 그거 살 건데, 어때?

내 (꺼라고 / 거라고) 분명히 말했다.

정답: 내 거라고 분명히 말했다.

이따 시간 괜찮으면 (갈게 / 갈께).

정답: 이따 시간 괜찮으면 갈게.

하루 쉬었더니 (일할 게 / 일할 께) 산더미다.

정답: 하루 쉬었더니 일할 게 산더미다.

여기가 (맞을껄 / 맞을걸)?

정답: 여기가 맞을걸?

이럴 줄 알았으면 취직하지 (말걸 / 말껄).

정답: 이럴 줄 알았으면 취직하지 말걸.

전에 말했던 제 조카(예요 / 에요).

정답: 전에 말했던 제 조카예요.

제가 그런 게 아니(예요 / 에요).

정답: 제가 그런 게 아니에요.

내일이 시험(이에요 / 이예요).

정답: 내일이 시험이에요.

어제가 생일(이였다 / 이었다).

정답: 어제가 생일이었다.

오늘은 꼭 서점에 (들러야지 / 들려야지).

정답: 오늘은 꼭 서점에 들러야지.

떨어진 음식은 (주서 / 주워) 먹지 마.

정답: 떨어진 음식은 주워 먹지 마.

그렇게 (하던지 말던지 / 하든지 말든지) 알아서 해.

정답: 그렇게 하든지 말든지 알아서 해.

그렇게 (하던가 말던가 / 하든가 말든가) 알아서 해.

정답: 그렇게 하든가 말든가 알아서 해.

그렇게 (되면 / 돼면) 안 (되는 / 돼는) 거 아니야?

정답: 그렇게 되면 안 되는 거 아니야?

좋은 사람이 (되도록 / 돼도록) 노력할게.

정답: 좋은 사람이 되도록 노력할게.

(됄 / 될) 수 있으면 같이 가자.

정답: 될 수 있으면 같이 가자.

마음대로 해도 (되 / 돼)?

정답: 마음대로 해도 돼?

(됐어 / 됬어) 내 마음이야.

정답: 됐어 내 마음이야.

말 좀 그렇게 (않 / 안) 하면 좋겠어.

정답: 말 좀 그렇게 안 하면 좋겠어.

같이 가지 (않으실 / 안으실)래요?

정답: 같이 가지 않으실래요?

별로 보고 싶지 (안은데 / 않은데).

정답: 별로 보고 싶지 않은데.

(않 / 안) 된다면 (않 / 안) 되는 거야.

정답: 안 된다면 안 되는 거야.

하지 (않으면 / 안으면) (않 / 안) 돼.

정답: 하지 않으면 안 돼.

사과도 하지 (안고 / 않고) 가 버렸다.

정답: 사과도 하지 않고 가 버렸다.

어제도 내가 빨래 (넒 / 넘).

정답: 어제도 내가 빨래 넒.

형제인데 얼굴이 엄청 (틀리게 / 다르게) 생겼네.

정답: 형제인데 얼굴이 엄청 다르게 생겼네.

그렇다고 문을 (부시면 / 부수면) 안 되지.

정답: 그렇다고 문을 부수면 안 되지.

내 장난감 네가 (부숴어 / 부셔어 / 부서어)?

정답: 내 장난감 네가 부숴어?

어떡해, 이거 (부숴졌어 / 부셔졌어 / 부서졌어).

정답: 어떡해, 이거 부서졌어.

(참으려야 / 참을레야) 참을 수가 없다.

정답: 참으려야 참을 수가 없다.

웬만하면 (갈려고 / 가려고).

정답: 웬만하면 가려고.

정말 열심히 (했다구요 / 했다고요).

정답: 정말 열심히 했다고요.

그래, 네 생각이 (맞아 / 맞어).

정답: 그래, 네 생각이 맞아.

네 말이 맞는 것 (같어 / 같애 / 같에 / 같아).

정답: 네 말이 맞는 것 같아.

여기에는 (붙이지 / 붙히지) 말라고 그랬잖아.

정답: 여기에는 붙이지 말라고 그랬잖아.

다음 시험부터는 난도를 (높혀야겠어 / 높여야겠어).

정답: 다음 시험부터는 난도를 높여야겠어.

뭐? 둘이 (사귀었다고 / 사겼다고)?

정답: 뭐? 둘이 사귀었다고?

학교가 많이 (바뀌었네요 / 바꼈네요).

정답: 학교가 많이 바뀌었네요.

뚜껑을 세게 (잠가서 / 잠궈서) 안 열려.

정답: 뚜껑을 세게 잠가서 안 열려.

이번 김치 맛있게 (담가졌지 / 담궈졌지)?

정답: 이번 김치 맛있게 담가졌지?

곰은 힘이 (쎈 / 센) 동물이다.

정답: 곰은 힘이 센 동물이다.

이거 양이 좀 (모자른데 / 모자란데)?

정답: 이거 양이 좀 모자란데?

심기를 자꾸 (건들인다 / 건드린다).

정답: 심기를 자꾸 건드린다.

등산을 하다 발을 (헛딛어서 / 헛디뎌서) 크게 다쳤다.

정답: 등산을 하다 발을 헛디뎌서 크게 다쳤다.

많이 (가진 / 갖은) 사람이 누구야?

정답: 많이 가진 사람이 누구야?

몸을 어서 (추스려서 / 추슬러서 / 추스러서) 일해야지.

정답: 몸을 어서 추슬러서 일해야지.

오랜만에 (설레이는 / 설레는) 일이 생겼다.

정답: 오랜만에 설레는 일이 생겼다.

(되뇌일수록 / 되뇔수록) 화가 난다.

정답: 되뇔수록 화가 난다.

드디어 (깨달았어 / 깨닳았어).

정답: 드디어 깨달았어.

(잊힌 지 / 잊혀진 지) 오래됐지.

정답: 잊힌 지 오래됐지.

책이 (찢겨졌잖아 / 찢겼잖아).

정답: 책이 찢겼잖아.

비법 좀 (가르켜 / 가르쳐) 주세요.

정답: 비법 좀 가르쳐 주세요.

손가락으로 하늘을 (가르켜 / 가리켜) 봐.

정답: 손가락으로 하늘을 가리켜 봐.

(맛있을런지 / 맛있을는지) 모르겠어요.

정답: 맛있을는지 모르겠어요.

무리한 탑승은 (삼가해 / 삼가) 주시길 바랍니다.

정답: 무리한 탑승은 삼가 주시길 바랍니다.

아직도 마음 (한편 / 한 켠)이 찡하다.

정답: 아직도 마음 한편이 찡하다.

늦은 저녁이 되니 야식이 (땡긴다 / 당긴다).

정답: 늦은 저녁이 되니 야식이 당긴다.

공기가 건조한지 피부가 (당긴다 / 땅긴다).

정답: 공기가 건조한지 피부가 땅긴다.

아궁이 불을 (댕겼다 / 땡겼다).

정답: 아궁이 불을 댕겼다.

열쇠를 (꼽아 두고 / 꽂아 두고) 온 것 같아.

정답: 열쇠를 꽂아 두고 온 것 같아.

지난 연도 (합격률 / 합격율)은 어땠나요?

정답:지난 연도 합격률은 어땠나요?

연령에 따른 (보급율 / 보급률)의 차이가 큽니다.

정답: 연령에 따른 보급률의 차이가 큽니다.

(교환률 / 교환율)은 어떻게 되나요?

정답: 교환율은 어떻게 되나요?

(반품률 / 반품율)이 높은 이유가 뭐죠?

정답: 반품률이 높은 이유가 뭐죠?

줄을 (맞춰서 / 맞혀서) 진열해 주세요.

정답: 줄을 맞춰서 진열해 주세요.

문제는 다 풀었고, 정답이랑 (맞춰 / 맞혀) 봐야지.

정답: 문제는 다 풀었고, 정답이랑 맞춰 봐야지.

정답은 3번입니다. 모두 (맞췄죠 / 맞혔죠)?

정답: 정답은 3번입니다. 모두 맞혔죠?

선생님(으로써 / 으로서) 바르게 이끌겠습니다.

정답: 선생님으로서 바르게 이끌겠습니다.

(노래로써 / 노래로서) 위로를 받았다.

정답: 노래로써 위로를 받았다.

시험 (난이도 / 난도)가 높았는지 탈락자들이 많다.

정답: 시험 난도가 높았는지 탈락자들이 많다.

개가 달려들어서 깜작 (놀랬다 / 놀랐다).

정답: 개가 달려들어서 깜작 놀랐다.

친구는 몇 시에 (도착한데 / 도착한대)?

정답: 친구는 몇 시에 도착한대?

뭘 잘못 먹었는지 (뱃속이 / 배 속이) 아프다.

정답: 뭘 잘못 먹었는지 배 속이 아프다.

(굳이 / 구지 / 궂이) 찾고 싶어?

정답: 굳이 찾고 싶어?

감기 걸렸다며, 약 먹고 빨리 (낳아 / 나아).

정답: 감기 걸렸다며, 약 먹고 빨리 나아.

꼭 네 꿈을 찾길 (바라 / 바래).

정답: 꼭 네 꿈을 찾길 바라.

떨어져 있으면 헤어지기 (쉽상 / 십상)이야.

정답: 떨어져 있으면 헤어지기 십상이야.

너무 (염두하지 / 염두에 두지) 마.

정답: 너무 염두에 두지 마.

(부기 / 붓기)만 빠져도 살이 빠져 보일걸?

정답: 부기만 빠져도 살이 빠져 보일걸?

(개수 / 갯수)를 세어 보세요.

정답: 개수를 세어 보세요.

배가 고팠는지 (금세 / 금새) 먹어 버렸다.

정답: 배가 고팠는지 금세 먹어 버렸다.

안녕, (오랫만 / 오랜만)이야.

정답: 안녕, 오랜만이야.

(오랫동안 / 오랜동안) 알고 지낸 친구다.

정답: 오랫동안 알고 지낸 친구다.

(왠지 / 웬지) 당첨될 것 같지?

정답: 왠지 당첨될 것 같지?

이게 (왠 / 웬)일이야?

정답: 이게 웬일이야?

열심히 공부해 (인마 / 임마).

정답: 열심히 공부해 인마.

카드 (결재 / 결제)가 안 되는데?

정답: 카드 결제가 안 되는데?

(결재 / 결제) 서류를 작성 중이다.

정답: 결재 서류를 작성 중이다.

아이고, (화병 / 홧병) 나겠네.

정답: 아이고, 화병 나겠네.

선생님이 (뇌졸중 / 뇌졸증)으로 쓰러지셨어요.

정답: 선생님이 뇌졸중으로 쓰러지셨어요.

(패혈증 / 폐혈증)은 무서운 질병이다.

정답: 패혈증은 무서운 질병이다.

이 자리를 (빌어 / 빌려) 말씀드릴 게 있습니다.

정답: 이 자리를 빌려 말씀드릴 게 있습니다.

(어떻해 / 어떡해), 지갑을 잃어버렸나 봐.

정답: 어떡해, 지갑을 잃어버렸나 봐.

약속에 늦을 것 같아, (어떻하지 / 어떡하지)?

정답: 약속에 늦을 것 같아, 어떡하지?

(함부로 / 함부러) 건드리면 안 돼.

정답: 함부로 건드리면 안 돼.

(일부로 / 일부러) 그런 건 아니야.

정답: 일부러 그런 건 아니야.

뭘 잘못했는지 (곰곰이 / 곰곰히) 생각해 봐.

정답: 뭘 잘못했는지 곰곰이 생각해 봐.

(틈틈이 / 틈틈히) 공부하고 있다.

정답: 틈틈이 공부하고 있다.

여기 조금 더 (짜르면 / 잘르면 / 자르면) 좋겠다.

정답: 여기 조금 더 자르면 좋겠다.

(더러워서 / 드러워서) 때려치운다.

정답: 더러워서 때려치운다.

좀 (씼어라 / 씻어라).

정답: 좀 씻어라.

내 시간을 (빼앗기고 / 빼았기고) 싶지 않아.

정답: 내 시간을 빼앗기고 싶지 않아.

아이고, 결국 (사단 / 사달)이 났군.

정답: 아이고, 결국 사달이 났군.

혼자 (단촐하게 / 단출하게) 살고 있습니다.

정답: 혼자 단출하게 살고 있습니다.

그거참, (희안한 / 희한한) 일이다.

정답: 그거참, 희한한 일이다.

거짓인 게 (들어나면 / 드러나면) 어쩌지?

정답: 거짓인 게 드러나면 어쩌지?

갑자기 (북어국 / 북엇국)이 먹고 싶어.

정답: 갑자기 북엇국이 먹고 싶어.

점심엔 (순대국 / 순댓국)이나 먹을까?

정답: 점심엔 순댓국이나 먹을까?

(전체 요리 / 전채 요리)부터 맛있었다.

정답: 전채 요리부터 맛있었다.

(모둠 회 / 모듬 회)가 푸짐하다.

정답: 모둠 회가 푸짐하다.

(저가 / 제가) 하겠습니다.

정답: 제가 하겠습니다.

(저가 / 제가) 그런 게 아니에요.

정답: 제가 그런 게 아니에요.

우리 모두 (파이팅 / 화이팅)!

정답: 우리 모두 파이팅!

(워크샵 / 워크숍)에 꼭 참석해야 해?

정답: 워크숍에 꼭 참석해야 해?

회사 앞 (커피샵 / 커피숍)에서 기다릴게.

정답: 회사 앞 커피숍에서 기다릴게.

(멤버쉽 / 멤버십) 카드 있어?

정답: 멤버십 카드 있어?

(컨셉이 / 콘셉트가) 식상하다.

정답: 콘셉트가 식상하다.

'꺼야'냐 '거야'냐 그것이 문제로다

발행 2024년 3월 19일

저자 아더곰

펴낸이 한건희

펴낸곳 주식회사 부크크

출판사등록 2014.07.15.(제2014-16호)

주소 서울특별시 금천구 가산디지털1로 119 SK트윈타워 A동 305호

전화 1670-8316

이메일 info@bookk.co.kr

ISBN 979-11-410-7695-5

www.bookk.co.kr